Geeddi wax ma akhriyo

Sheeko gaaban oo ujeedadu tahay kobcinta awooda akhriska ee carruurta yar yar.

Qore: Cumar Aden
Sawirada: Trang Tang

1

Geeddi waa wiil 12 jir ah oo dhigta fasalka shanaad ee dugsiga Brent.

Muuqaal ahaan marka aad aragto waxaad u malaynaysaa in ay wax waliba ay yihiin sidii loogu tala galay.

Waa agoon oo waxa uu la nool yahay hooyadii. Wax walaalo ah ma leh.

Hooyadii waa qof had iyo goor aad ugu dadaasha daryeelka ilmaheeda.

Waxay la jeceshahay sidii hooyo lagu yiqiin inuu wiilkeedu ahaado dadka ka ugu horeeya. Intii awoodeeda ah way dadaashaa, laakiin waxbarshada kama caawin karto oo iyaduba dugsi may gelin.

Geeddi isaguna ma xuma qof ahaan.
Laakiin isaga iyo hooyadii waxa ka dhex
taagan is maandhaaf.

Ma jecla Geeddi in uu hooyadii hadalkeeda
diido, dhinaca kalena waxa aad moodaa in
carruurnimo jiidanayso.

Aroortii waxa sida carruurta kaleba uu
isku diyaariyaa in uu aado dugsiga.
Wuu quraacdaa, labistaa oo diyaarsadaa
buuggaagtiisa, laakiin marna kama tago
waxa uu ugu jecel yahay oo ah kubbada
ama banooniga.

Dugsiga uu dhigto iyo gurigu waxay isku jiraan masaafad dhan afar kiiloomitir.

Dugsiga iyo guriga dhexdiisa waxa ku taal oo uu Geeddi maalin walba sii maraa beer uu tufaax ka baxo iyo garoon kubbadeed.

Geeddi ma dhaafo garoonkaa arroortii. Haddii uu cid uu la ciyaaro waayo kubbada, isaga ayaa kelidii iska ciyaara. Taasi waxay keentaa in uu dugsiga ka habsaamo oo uu arroortii inta badan ka daaho casharada dugsiga.

Inta uu fasalka joogana inta badan waa caajis oo waxa ka muuqata in aanu xiiso badan u hayn in uu wax barto. Taasina macallinka ayuun baa og.

Hooyadii had iyo goor waxa uu iskaga dhigaa wiil si fiican ula socda waxbarashadiisa oo inta uu dugsiga joogo ka shaqeeya dhamaanba layligii guriga lagaga shaqeyn lahaa.

Sidaa darteed gelinka dambe waxa uu bannaanka ula bixi jirey kubbada oo uu maalinta oo dhan ku ciyaari jirey.

Ilaa ay hooyadii u yeedho ma soo hoydo.

Wax badan ayey hooyadii ka waanisay inuu yareeyo waqtiga badan ee ku baxaya ciyaarta. Waxay ku waanisaa inuu waqti siiyo waxbarashadiisa, waqtina siiyo ciyaarta oo ay noloshiisu noqoto mid isku dheelitiran.

Marka uu in badan ku ciyaaro bannaanka ee uu gaajo dareemo ayuu beer tufaax ah oo u dhow meesha uu ku ciyaaro geli jirey si uu tufaax uu cuno uga soo goosto.

Beerta waxa iska lahaa nin wanaagsan oo dadka wuu u ogolaa in ay beerta wax ay cunaan ka goostaan.

Maalin maalmaha ka mid ah, mar uu
Geeddi gaajo dareemay ayuu tegay beertii
tufaaxa ahayd si uu tufaax uga soo
goosto.

Beerta waa la buufiyey oo waxa lagu
buufiyey sun si looga dilo cayayaanka yar
yar ee ku dhasha khudaarta marka ay
baxayso.

Waxa lagu dhejiyey boodh aad u weyn si
dadka loogu digo oo aanay u cunin
tufaaxa iyaga oo aan iska dhaqin ama
meydhin.

16

Boodhka waxa ku qornaa " Tufaaxa beertan waxa lagu buufiyey sun, fadlan iska dhaq inta aanad cunin".

Geeddi inkasta oo uu dhigto fasalka shanaad haddana waxna ma qori karo, waxna ma akhriyi karo.

Laakiin waalidkii waxba kama oga, waxay u haystaan in uu waxna akhriyi karo waxna qori karo oo uu weliba yahay nin shaqo badan inta uu dugsiga joogo.

Geeddi inta uu usoo dhowaaday boodhka ayuu fiiriyey waxa ku qoran, laakiin waxba wuu ka garan waayey.

Waxba markuu ka fahmi waayey wixii ku qornaa boodhka, Geeddi wuu iska cunay tufaaxii. Dabadeedna waxa uu iska tagey gurigii si uu u seexdo.

Habeenimadii saqdii dhexe ayuu dareemay calool xanuun aad u xun oo uu ka seexan kari waayey.

Hooyadii ayaa maqashey taahiisii. Way soo toostay oo waxay soo gashay qolkii Geedi.

Hooyadii markii ay ka yaabtay ayey weydiisey waxa uu cuney. Geeddi waxa uu u sheegay in wixii ugu dambeeyey ee uu cunay ay ahayd tufaaxa beerta reer Sugule.

Hooyadii inta ay qeylisay ayey tidhi " hooyo miyaanad akhriyin boodhka weyn ee beerta ku dhex yaal"?. Miyaanad ogeyn sida boodhka ku qoran in beerta sun lagu buufiyey ?

Geeddi intuu hoos iskula hadlay ee uu foorarsaday ayuu hoos u yidhi " Alla hooyo miyaan wax akhriyaaba".

Geeddi aad buu uga xumaaday dhibta ka
soo gaadhay aqoon darridiisa. Waxaanu
ballan ku qaaday in uu joojiyo ciyaarta
badan oo uu ku dadaalo waxbarashadiisa.

Maalintii wixii ka dambeeyeyna wuxu
qoomameeyey waqtigii dhaafay, waxaanu u
dhaqaaqay waxbarasho iyo in uu muddo
gaaban ku barto akhriska iyo qorista.

Geeddi isaga oo ilaahay gargaarsanaya ayuu
kaga dhabeeyey balantii uu qaaday,
waxaanu muddo yar ku gaadhay meel aad
u sareysa.

Wuxuu bartay sida wax loo qoro iyo sida
wax loo akhriyo.